엄마의
순간들

저자 김은희

싱글맘으로 인생 모험을 두 딸을 키워 독립시켰지만 계속 보살핌이 필
요한 딸들과 함께 인생의 모험 길을 헤쳐 나가고 있다. 그리고…. 잠재
되어 있고, 발견되지 않은 자신의 어떤 모습이 더 있는지 궁금해하고
있다.

엄마의 순간들

글 - 김은희

그림 - 강푸름

서문

　살면서 인생의 갈림길 혹은 맘 아픈 일, 억울한 일, 골치 아픈 일 등 등 여러 가지 일들을 겪을 때마다 좌절하지 않고 '와, 이번에 또 모험 시작이군.' 하는 생각으로 다시 일어나 걷기 위해 마음을 다잡곤 했다.

　폭풍 같은 사춘기 언덕을 넘고 입시의 큰 산을 올라 이제 두 딸은 스물을 넘겼고 성인이 되었지만, 엄마는 또다시 취업의 협곡을 마주하고 있는 딸들의 성장을 돕고 응원하며 계속 육아 중이다.

　사춘기와 10대를 넘어 성인이 되기까지 아이들을 키우는 과정에서 엄마로서 잘하고 있는지 고민하고 반성하고 다시 마음 다잡아야 했던 순간들에 짬짬이 기록했던 글들을 모아보았다. 그리고 딸아이의 공책 여기저기에 살아있는 듯 자리 잡은 그림들을 가져와서 글 사이사이에

넣었다. 한때 일러스트레이터를 꿈꿨던 아이의 낙서 같은 낙서 같지 않는 그림 조각들을 작은 갤러리처럼 감상해 주길 바란다.

이제 성인이라 아이들에게 주어진 모든 상황 속에서 모든 결정과 책임은 자기의 몫이 되었지만, 엄마 눈에는 여전히 아기인 딸들이 복잡한 세상 앞에서 실패를 두려워 말고 자신만의 인생길을 헤쳐 나가길 응원한다.

2024년 5월 31일
김은희

작가의 책을 만난 순간 나는 작가의 딸이 되었다. 할머니의 단골멘트 '걱정마' '미안해' 가 눈시울을 적신다. 엄마는 엄마의 엄마를, 엄마의 할머니를, 그리고 나를 사랑했구나. 엄마의 엄마도 엄마를 사랑했구나. 엄마의 친구들도 엄마를 사랑했구나. 나는 아기도 되었다가 노트에 볼펜으로 무언가 그리고 있는 사춘기 아이가 되기도 했다. 작은 아기였던 나, 지금의 나, 내 인생, 내 낙서까지 사랑하는 내 엄마가 느껴진다. 엄마이기에 할머니도 딸들도 친구들도 살아있는 작품이 된 '엄마의 순간'들이다.

활동가, 출판 에이전트　이선경

차
례

엄마의 엄마

3년 전 엄마의 엄마는 의료원 중환자실에 누워 세상을 떠나셨다. 떠나시는 엄마의 엄마 손을 잡고 엄마는 "엄마, 잘 가. 이젠 아프지 않을 거야."라고 작별 인사를 했다. 코로나19라는 감염병 때문에 면회도 힘들었지만 임종까지도 한 명씩, 두 명까지만 허락되어 큰아들인 외삼촌과 막내인 엄마가 대표로 엄마의 엄마께 작별 인사를 하였다. 그렇게 엄마는 나이 오십에 이 세상에 엄마도 아빠도 없는 고아가 되어버렸다.

엄마의 엄마는 과일 장사를 하셨었다. 아주 옛날, 그러니까 엄마의 기억은 1980년대부터 시작된다. 엄마의 엄마는 아침 일찍 시장에 나가셔서 혹시 올지 모르는 단골손님을 기다리고 기다려 과일을 팔고 밤늦게 귀가하시곤 했다. 그리고 그다음 날도 엄마의 엄마는 아침 출근 전 더욱더 일찍 일어나셔서 아궁이에 불피워 아침밥을 차려놓으시고 "은희야 아침밥 먹고 학교 가라~"고 늘 말씀하셨다. 녹음기를 켜놓은 듯 같은 말이 매일같이 내 귀에 도착하면 엄마는 "아! 알았어. 그만해!!" 하고 짜증을 내는 날이 더 많았던 것 같은 생각에 이제 와서 미안하다.

엄마의 엄마는

자식들

밥을 먹게 하려고

아무리 피곤해도 밥상을 차리고

엄마의 엄마는

자식들

좋은 것 사주려고

그렇게 인생 모든 시간을

시장에서 살았었다.

그렇게 엄마의 엄마는 엄마의 기억 속에 장사하는 모습, 밥 차려주는 모습만 남기고 가셨다. 뭐 특별히 아름다웠던 추억도 거의 없지만 엄마는 불쑥불쑥 무작정 엄마의 엄마가 그리워진다.

걱정마 미안해

'은희야, 엄마 걱정은 하지 마.

잘살고 있으니. 걱정하게 해서 미안하다. 엄마는 괜찮다. 너무 걱정하지 않

아도 돼. 엄마 밥 잘 먹고 있으니까 너무 걱정 않아도 돼. 알아서 할 테니까

너무 걱정 않아도 돼.하나와 두리는 잘 있니? 미안하다. 다리만 안 아프면…

발바닥까지 통증이 오면 약 바르면 좋으니까 걱정하지 마라. 미안하다.'

엄마의 엄마는 초등학교도 졸업하지 못했다. 일제 강점기를 겪었고

한국전쟁 통에 피난해야 했고 등등 힘든 시절을 지나오셨다. 그날그날

을 견디면서 살아오셨을 것인데 늙고 병들어 혼자 감당하기 힘들 때도 '걱정 마라 미안하다'는 말로 막둥이를 걱정하고 있었다. '엄마 막둥이 잘하고 있어요. 걱정하지 마세요.'

이기적인 효도

어제 엄마 친구가 80대인 어머니께 아직도 '사랑해요' 말을 하기가 쑥스럽고 어색하다 하여 효도는 이기적으로 해야 한다고 조언을 해주었다.

더 이상 주저하거나 머뭇거릴 시간이 없어

우리의 부모님은 당장 내일 돌아가실지도 몰라. 어릴 적 부모님은 바쁘셔서 나에게 신경을 못 써주셨고 대학도 안 보내 주셔 혼자 힘으로 힘들게 대학을 다녀야 했고, 늘 오빠가 우선순위라 나는 신경도 써주지 않았다고 투덜대는 것은 인제 그만!

시간이 있을 때 어머니 아버지 살아계실 때

내가 받고 싶었던 사랑을 받아야 해

어머니

아버지

떠나시기 전

세상에 존재하실 때

누려

포옹하기

어색해도 용기 내어

어머니

아버지

품에 안겨보기를 바래

하지만 생각해보면

그 모든 실천 내용은 나 자신을 위한 일이라고 생각해

이것이

내가 말하는 이기적 효도

딸들아, 너희들도 엄마 살아있을 때 많이 안겨~

'엄마의 초상화'를 읽고

위미리 동네 책방 〈북타임〉에 갔을 때 만난 그림책 '엄마의 초상'(유지연 지음)을 읽어보니 우리가 알고 있는 엄마의 모습은 보이는 그대로가 전부일까? 라는 생각에 동감했다.

이 책 속에 나오는 엄마 미영 씨는 빨간 립스틱을 바르면서 새로운 모습을 드러낸다. 미영 씨가 멋진 모자를 쓰고 멋진 옷을 입으면서 흥겨운 음악에 춤도 출 수 있고 또 먼 여행을 꿈꿔왔다. 그리고 꿈꾸던 그 날 먼 여행을 떠나고 외국의 어느 곳에선가 낯선 화가는 멋진 미영 씨를 화폭에 그려준다. 그 초상화는 작가가 엄마의 평상시 엄마 모습을 그린 초상과는 아주 달랐다. 가까이서 미영 씨를 보아왔던 사람들은 보지 못했던 것이 그 화가에게는 보였나 보다.

"

엄마 은희 씨는 가끔 스노우 셀카 놀이를 하며 재밌어한다.
스노우는 평소의 자신을 색다른 모습으로 변신시켜주는 스마트 폰 앱이
다.
....
"

이렇게 시작해 볼까?

어쩌면 엄마들뿐만 아니라 우리는 모두 평소의 내가 아닌 다른 누군가가 되고 싶다는 꿈을 가지고 있지 않을까?

언젠가 나도 '엄마 은희 씨'에 대한 책을 만들어 나에게 선물해야겠다.

하나가 태어났을 때

생후 19일 차

나는 하나의 엄마다!아직 어리광이 남아 어린애 같은 엄마이지만 내 자신도 대견하게 여겨지는 점은 출산의 고통을 이겨냈다는 것이다. 내게 처음 온 아가인 하나에게 너무 미안했다. 엄마가 호흡법과 힘주기를 잘못해서 정말 힘들었을 건 하나였을 테니까... 착하고 순하게 잘도 먹는 내 아가.정말 고맙고, 사랑해.

생후 90일 차

엄마, 아빠를 알아보는 듯 눈을 말똥말똥 뜨고 눈 맞춤을 하는 하나가 사랑스럽다. 옹알거리는 입속에서 "엄마! 아빠!"하고 말할 때가 너무 기다려진다.

생후 107일 차

엄마 앞에 하나를 앉혀놓고 책을 읽는데 하나가 엉덩이를 들썩거리는 것이 심상치 않아 손을 잡아 주었다. 위로 살짝 힘을 주었더니 다리를 꼿꼿이 하고 벌떡 일어나는 것이 아닌가!! 보통 3개월부터 손잡고 일어서기가 시작된다더니…. 좀 늦은 감이 있었지만 어찌나 기쁘던지 눈물이 글썽여졌다. 잘했어 하나야!

겨우? 손잡고 일어선 것인데 이렇게 눈물 나게 기쁘다니… 혼자서 일어나면 또 얼마나 기쁠까? 아기를 키우는 일은 정말 감동의 연속이다.

생후 356일 차

-뛰어다니기 놀이

아이가 맨발로 이 방 저 방 뛰어다니면서 방바닥과 마주치면서 만들어지는 맨발바닥 소리가 경쾌하다. 그 소리가 좋은지 아이는 "아 하하

하" 소리를 지르고 자꾸 뛰어다닌다. 쿵쾅쿵쾅 호호호.

　-이불 놀이도 압권이다.

　이불 위에 아이가 엎드리고 엄마는 이불 끝을 잡고 빙글빙글.... 아이가 아주아주 좋아한다.

　-공놀이

　공굴리기는 아직 미숙한 점이 많지만 주고받기를 참 좋아한다.

두리 탄생기

나도 놀랄 만큼 빠른 출산이었다.

3시 입원 7시 7분 출산이라니!!

허리가 너무 아파 못할 것 같았는데….진통이 심해 올수록 허리가 잘려 나갈 듯이 아팠다. 두리가 세상 밖으로 나오려고 열심히 밀고 있는 것이었겠지.

아직 아기 같은 하나가 엄마 곁을 떠나지 않고 해준 말도 큰 힘이 되었다.

"엄마, 힘 잘 주고 잘 참아. 알았지?"

기특해

시어머니, 친정어머니, 하나가 분만대기실에서 같이 있어 주고 도와 주니 용기 내 더 잘한 것 같다.

진통으로 비명을 지르다가"두리야 이제 나와라!" 소리쳤다. 곧 분만 실로 옮겨지고 간호사가 위에서 배를 밀어주고 의사가 아래서 받아주 어 금방 낳았다. 해냈다!!! 마지막에 배를 눌러 아기가 쉽게 나오도록 해준 간호사에게 특히 고마워 통증으로 정신이 혼미한 상황에서도'고 맙습니다' 인사가 절로 나왔다.

두리는 참 사랑이 많은 아기인가 보다. 이렇게 모두 도와주고 맞아 주니 말이다.

사랑 많이 주고 사랑 많이 받는 사람이 되려무나. 사랑해 두리야.

가장 평범한 것이 가장 행복한 것이 아닐까

아이들이 태어나고 뒤집기를 하고 옹알이를 하고 걸음마를 배우고 한글을 터득하고 학교에 다니고, 그 성과가 좋든지 나쁘든지 졸업을 하고 또 새로운 학교에 입학을 하고 그들의 시간을 채워가고 있다.

다행이다.

나는 그저 그들이 모두 자신의 청춘을 헛되이 쓰지 않고 맘껏 그 시간들을 즐겨보길 바란다.

10대의 아이들이 생기가 넘치는 자신의 청춘을 꿈틀대듯 살아내고 새롭게 다시 시작하는 그런 순간들을 보면 나는 감격스럽고 설렘을 느끼곤 한다. 하지만 50 고개에 올라와 그들의 인생과 비교해 나의 현실을 바라보니 매우 쓸쓸하다. 나 또한 꿈틀대며 어떻게든 살아내었고 졸업도 하고 새로운 시작도 해내었건만 충만한 기분이 들지 않는 건 내 욕심이 너무 크기 때문일까?

갓 50세인 어느 해의 닷새가 지나가던 날, 의미 없이 그저 흘려보낸 시간에 아쉬움으로 아직 어두운 새벽인데 문득 눈이 떠져서 일어나 앉아 내 마음을, 흩어져 사라져버리고 있는 것 같은 내 생각들을 글에 담아보려 애썼다.

지금껏 열심히 살아왔고, 열심히 아이들을 돌보고 있으나 모든 시간이 나의 바람같이 채워지지는 않았다. 주중은 너무도 바쁘게 흘러가서 서로 눈 맞춤 하거나 같이 앉아 밥 먹기도 힘들고, 주말은 주말이라고 휴대전화에 빠져들어 있는 아이들과는 너무 멀어져 있는 기분이고 행복한 느낌도 없다. 잠자고 일어나고 살아 움직이는 시간 패턴이 다른 나와 아이들은 과연 어떻게 하면 행복할 수 있을까?

가장 평범한 것이 가장 행복한 것이 아닐까 하는 생각을 해 본다.

아이들과 가족이라는 테두리 안에서 함께 평범한 수다를 떨면서 따뜻한 밥시간을 나눌 수 있기를 바란다. 그렇지만 나와 아이들 사이에 휴대전화가 가로막혀 있다.

사랑해 꼭. 끼.

하나가 일곱 살이었던 때 싱글맘인 나는 아이가 학교에서 엄마가 일하고 있는 학원으로 돌아와도 엄마는 늘 일하고 있어서 대화 시간이 매우 부족했었다. 그래서 가족 노트를 만들어 바쁜 일상 속에서도 아이와 부족한 대화를 하려고 노력했었던 때가 있었다.

하나: 엄마, 근대 나 엄마 보고 싶퍼. 알았지? 엄마. 엄마 일 잘해 알았지? 엄마 나 공부 잘했어요.

엄마: 엄마 딸 기특하구나. ^^

힘들 때, 지칠 때, 짜증 날 때 네가 있어 행복하다. 사랑해 하나야. 씩씩하게 예쁘게 자라게 밥 잘 먹고 잘 씻기! 알지? 사랑해 사랑해 사랑해 사랑해 사랑해 뽀.뽀. 꼭. 끼.(꼭 껴안기) ^^

하나: 엄마도 뽀뽀. 꼭. 끼. 사랑해.

엄마: 날씨가 너무 더우니까 선캡 쓰고 다녀라. 공부도 좀 하구.

하나: 엄마, 나 이모 집에 갈께!! 전화해.

하나: 엄마! 나 500원 실수로 써버련. 미안해요 엄마. ^^

엄마: 사랑하는 딸 하나야! 오늘도 학교 생활, 학원 생활 다 잘했니? 오늘부터 동생 두리는 다시 외할머니댁으로 갈 거야. 너도 할머니 댁으로 가고 싶으면 쉬는 시간에라도 엄마 교실로 찾아와. 책상 위에 꺼내놓은 숙제도 하구…. 즐거운 하루!! ^^

상처받았어

사춘기 딸의 말은 매섭다.

엄마 가슴을 후벼판다.

엄마 자존감이 다운된다.

"해주기 싫으면 하지 말든지!!"

"엄마가 거기 앉아 있으면 내가 먹을 수 있겠어?"

나도 나의 엄마에게 똑같이 그랬었다… 는 기억이 어렴풋이 난다.

엄마, 많이 아팠지. 죄송했어요.

학교 보내기 힘들었던 날

07:10

아침 7시 10분 출근하기 위해 집을 나서면서 아직 침대에 누워있는 딸에게 손을 흔들어 인사하라고 했다. 잠이 아직 안 깬 딸이 잠에서 깨기 쉬울 것이라고 여기고 나의 말에 반응하기를 요구한 것이다. 딸은 이불 속에서 팔을 내밀어 손을 흔들어 주었다. 그나마 고맙다. 엄마의 말에 따라주어서....

07:54

서귀포까지 운전하면서 8시가 다 되어가니 다시 딸에게 전화했다. 전화를 받지 않는다. 다시 잠들었나?

몇 번 더 전화하면 깨어날 것이라고 여기고 5~10분 간격으로 계속 전화를 했다.

08:19

담임선생님으로부터 딸이 전화를 받지 않으니 연락해 달라고 전화가 왔다. 그래도 곧 일어날 거라고 기대하면서 일하는 중간중간 전화를 했다. 12번. 그래도 안받는다.

08:44

딸이 자취하고 있는 오피스텔 같은 건물 6층에 사는 지인에게 전화했다. 혹시 가 볼 수 있냐고..... 그런데 지금 멀리 산책하러 갔단다. 에휴~

이제 일하러 가야 한다. 조금만 지나면 제발 일어나 있기를...

담임선생님께 상황을 설명하고 사과하는 문자를 보내고 일을 하러 갔다.

09:48

일하다가 다시 전화해도 받지 않는다.

혹시 많이 아픈 것이면 어쩌지? 하는 생각도 들었다.

두 번 더 전화 해 보고 안 되겠다 싶어 관리사무소로 연락해서 도움을 요청했다. 혹시 모를 상황이 있을까 봐 조마조마 했다. 관리소장은 5분도 안 되게 빨리 올라가서 문을 두들겼는데 안 나온다고 전화가 왔다. 아..... 어쩌지? 자기 업무가 있는데도 도와주러 9층까지 올라와 준 사람에게 조금 더 기다려 달라고 하기가 미안해서 그냥 비밀번호를 알려드리고 문을 열어보라고 했다.

비밀번호를 누르고 문을 열려는 순간 딸이 문을 열어주었다. 아..... 다행이다.

"살아있구나! 빨리 자가 진단하고 출첵(출석확인)해라."라고 말하고 전화를 끊었다.

10:00

그리고 도착한 딸의 메시지는 '왜 모르는 사람이 내방 문을 따고 들어와?' 였다. 그리고 이어진 딸의 말은 '꼭 남에게 현관 비번을 알려줘야 했어?'였고 자신이 잠자다가 지각해서 벌어진 상황에 대한 반성은

하지 않고 계속 엄마 행동에 대한 비판만 했다.

속상해서 소리를 쳤다.

"네 잘못에 대해 인정할 건 인정 하라고!!!!"딸의 대답은 더 셌다.

"그래 내가 너무 큰 실수를 해서 그냥 학교 다닐 자격도 없겠다. 다 때려치울께."

....

험한 말이 오고 갔던 당시의 상황과 내가 받았던 충격과 함께 아픈 마음을 달래기 위해 글로 적어 보았다. 아이도 그런 상황이 아팠을 것 이다.

Still 은희

영화 '스틸 앨리스'를 보았다. 50살밖에 되지 않았는데 알츠하이머 병을 앓게 된 어느 여교수의 이야기이다.

나도 이제 막 50대가 되었고 기억력이 좋은 편은 아니다. 게다가 나의 어머니도 치매라는 병 때문에 길을 잃고 헤매다 다쳐서 골절이 감염으로 이어져 결국 돌아가셨다. 병을 앓는다는 것은 참으로 끔찍한 일이다. 그저 건강하게 나이 들고 내 수명을 다하여 평화롭게 생을 마감한다면 그보다 좋은 일은 없겠지만 나 역시도 질병에 걸리고 그런 자신을 보며 끔찍한 기분을 느끼게 될지도 모르겠다.

영화 속 엘리스는 점점 기억이 없어져 가면서도 "나는 그저 매 순간을 살겠다"라는 말을 했다. 건강한 나도 나 자신이고 병에 걸린 나도 나 자신이고 그 병과 싸우는 순간들도 그저 내 삶의 일부일 것이다.

그러지 마

나는 딸을 아주 잘 이해하는 사람이 되고 싶고 그런 엄마이고 싶다. 그냥 나는 딸을 이해하려고 엄청나게 노력하고 있다는 부분을 내 딸이 알아줬으면 좋겠다.

나는 평소에 얼른 결론 짓고 싶어 하는 경향이 있는 것 같다. 그래서 딸에게 자꾸 재촉하다 보면 갈등이 생기고 만다.

어서 딸이 어른이 되면 좋겠다. 몸도 마음도 단단해지면 좋겠다.

딸이 교복 입고 학교에 가려는데 치마 속에 입을 속바지를 찾을 수 없다고 짜증을 낸다. 내가 없앤 것도 아닌데 내가 없앴다고 엄마가 없앴다고 숨겼다고 모함을 한다. 그래도 학교에 가려고는 하는구나 안심하는 마음에, 기특한 마음에, 고마운 마음에 잘 찾아보라고 이야기하며 다독인다.

엄마는 이제 생각보다 나이가 많이 들어서 잘 기억도 못 하는가 보다. 정확하게 또렷하게 기억이 안 난다. 그렇게 말했다.

그런데 딸은 자신이 못 찾는 걸 가지고 왜 엄마가 감춘 듯이 모함을 하고 엄마를 함부로 대하니 엄마가 왜 그런 말을 들어야 하는지 모르겠다. 왜 비난받아야 하는지 모르겠다.

나 비난받기 싫어. 비난받을 때 마음이 너무 우울해져. 그러지 마.

혼자 살라 해야겠다

딸이 자신에게 문제나 어려움이 있다고 말해주면 나는 내 생각을 말해준다. 그런데 딸은 "그걸 해결해 달라고 한 것도 아닌데 그런 말 하지마. 누가 해결해 달래?" 라고 짜증스럽게 말한다. "해결해 달라고 한 건 아닌데 왜 해결책을 내놓으려고 애쓰고 있냐고?" 한다.

생각을 가다듬고, "엄마는 너의 엄마니까 내 자유의지로 너에게 학교가 힘들면 전학 가고 싶은지 물어 볼 수 있어." 라고 말했더니 "그럼 내 자유의지로 전화 끊을게." 하고 전화를 끊어 버렸다. 무례하게 하지 말라고 문자 했더니 '내 자유의지인데' 라는 응답이 왔다.

속상하다. 나는 도대체 이 아이에게 무슨 빚이 이렇게 많길래 계속 휘둘림당하고 함부로 내뱉는 말의 뾰족한 덩어리들에 그냥 무방비상태로 상처받아야 하는가?

그러니까 아이가 함부로 내뱉는 말은 내가 듣기 힘들다. 나의 존재 가치가 땅바닥을 치고 다시 땅속 깊숙이 곤두박질치고 있는 기분이다.

그냥 혼자 살게 놔두면 혼자 생각도 많아지겠지?

학원비 결제해 주고 밥값 주고 옷 필요하다면 옷 사주고 그렇게 혼자 살라 해야겠다. 이 아이에게 오지랖은 필요 없다. 뭘 해 줘도 엄마에게 빈정거리는 말이나 하고 왜 그러지 않으면 안 될까? 내가 상대에게 예의를 갖추고 존중해 줄 때 자신도 좀 더 존중받을 수 있다는 것을 진정 모르는 것인가? 그것을 깨달을 날이 과연 올 것인가?

고뇌

나는 배우자의 배신에 마음이 어지럽고 힘들던 때도 새로 태어난 내 자식, 내 아기의 새 생명을 받아들이면서 깊은 충만감을 느꼈었다. 내 마음이 채워지는 것을 느꼈었다. 드디어 내게 온전한 내 편이 생겼구나! 나는 혼자가 아니구나! 하는 충만함과 채워짐.

삶이 팍팍했던 나의 어머니 아버지로부터 늘 부족함을 느껴왔고 그냥 피붙이니까 의지하고 살았었고 그러다 인생의 반려자를 만나 살면서로 이해하고 이해받으며 살 수 있으리라 기대했었으나 어느 순간 그의 배신으로 나의 그런 바람마저 산산조각이 나버렸다. 그래도 내 아이들이 생겼을 때 가졌던 충만감은 인생을 살아가는데 참으로 큰 의지가 되었나 보다.

그래서 성장기에 있는 아이들이 나를 향해 무례한 말을 쏟아낼 때 나는 깊이 상처받는다. 기대하고 의지하는 마음이 크면 클수록 상처도 크다. 인생이 원래 이런 것이었나? 내가 온 정성을 다해 사랑했던 배우자도 나를 배신하고 미성숙한 나의 아이들은 그저 나를 이용 대상으로만 생각하는 것 같다 서글프다.

딸에게

일요일에도 집에서 쉬거나 집안 정리를 하기보다는 봉사활동 한답시고 미술관에 나와 있다. 어제는 내가 사는 세상에 나 나름의 작은 보탬이 되겠다는 명목으로 그린피스라는 단체에 적은 금액이지만 기부도 했다.

나의 인생이 이렇게 흘러가는 건 이 세상이 나의 작은 움직임에 잘했다 칭찬해 주기 때문인 거다.

완벽하지 못한 가정에서 자랐으나 그래도 최악은 아니었고 가끔 좋은 추억들도 있기에 다행이었다고 긍정했다.

내가 만든 가족이 나의 부족함과 상대방의 일탈로 부서져 버렸고 조각난 내 자아의 조각을 일으켜 있는 힘껏 사랑스런운 딸들을 키웠다.

완전한 인간이 이 세상에 어디 있겠느냐마는 때때로 부족하기만 한 나의 품성과 기운에 실망하고 좌절하기도 한다.

이 아이들에게 좋은 엄마란 어떤 모습일까?

난 문득 엄마로서 너희의 신뢰를 얻지 못하는 것 같다는 기분이 든다. 밥 먹는 것, 옷 입는 것, 건강 챙기는 것, 쓰레기 분리수거 하는 것… 무엇 하나 '그렇구나. 그렇게 해 볼게'라고 수긍하지 않는 딸들은 어쩌면 내가 짜증 내며 내 어머니에게 싫다고 했던 말들과 같을 것이다. 그래서 내 어머니도 그런 자책의 편지를 남긴 적이 있었다.

'내가 멍청해서

내가 부족해서

미안하다.'

엄마가 뭐 벼슬이라고… 대단한 보답이나 보상은 기대는 하지 않겠다. 그저 너희들이 몸도 마음도 건강하고 행복하게 살아가기를 바란다.

"엄마의 소원은 너희들이 언제나 몸도 마음도 건강하게 살아가는 거야. 살아가다 보면 좌절도 슬픔도 있겠지만 긍정의 힘으로 너희 자신을 일으켜 내는 내공을 가지는 것이다. 오늘도 파이팅 하자!!"

Day Off

오늘은 아무 데도 가지 않고 늦잠 자고 일어나 청소를 조금 했다.

초롱이가 오줌을 흠뻑 싸서 바닥까지 젖은 베란다에 물을 부어 씻어내고

물걸레를 빨아 거실과 부엌, 안방 바닥을 낮은 자세로 꼼꼼히 닦았다.

닦아도 닦아도 개털은 구석에 조금씩 날려 완벽하지는 않지만 발바닥에 부석부석한 느낌은 줄고 발바닥에 닿는 촉감이 산뜻해져서 느낌이 좋다.

이 집으로 이사 온 지 3개월이 다 되도록 작은방 정리는 아직도 안 되었고 창고 같은 상태 그대로라 개운하지 못하다. 집이 점점 더 어지러운 느낌이 되고 있어 빨리 정리하고 싶은데 치우는 게 시작도 전 맘에서부터 힘에 부친다. 그래서 이삿짐센터 젊은 사장에게 돈이 더 들더라도 도와달라고 연락했더니 4시쯤 와 보겠다 한다. 묵은 것들은 버리고 산뜻하게 정리하면 내 딸들이 집에 왔을 때 편히 쉴 수 있겠지.

아… 며칠 더 쉬고 싶다.

슬퍼하지 마라

슬퍼하지 마라

넌 소중하니까

시험에 좋은 성적이 나오지 않았다고 슬퍼하지 마라

조금 더 노력해 보면 되는 거지

친구가 내 마음을 알아주지 않는다고 슬퍼하지 마라

시간이 흐르면 저절로 해결되기도 한단다

부모의 일로 너무 슬퍼하지 마라

네 탓이 아니야!

부모도 그런 결론에 도달하기까지 무척 힘들었을 거고 더는 힘들지
않을 결론을 찾고 있는 거니까

넌 소중하니까

너무 슬퍼하고만 있지 마라

우린 소중하니까

우리의 삶을 아름답게 할 시간이 부족해지니까

조금만 슬퍼하길

에델과 어니스트

평범함의 위대함에 대해 생각하게 한다.

우연히 보게 된 영화.

내가 좋아하는 그림책 'Snowman'의 저자 Roymond Brigg가 부모님의 이야기를 애니메이션으로 제작한 것인데 그들의 평범함에서 위대함이 느껴졌다.

나는 과연 아이와의 갈등에서 우위에 있지 않음에 좌절하고 폭력을 행사하여서라도 굴복시키고 싶어 하였던 것인가? 반성했다.

Roymond의 어머니 역시 평범한 어머니로서 아들이 명문대학에 진학을 바랐으나 Roymond가 미술을 전공하고자 했을 때 실망이 컸음에도 아들의 결정대로 따라주었다. 그럴 수밖에 없는 것인 거다.

나도 오늘 다시 다짐한다.

아이를 구속하려 하지 않겠다고.

그런데 아이가 약속 시간을 지키지 않는 것에 대해서 엄마가 화를 내는 것은 아이를 구속하는 것에 해당하지는 않을 텐데… 옳고 그름을 구별할 수 있도록 해주는 과정일 텐데… . 나의 훈육은 아이들에게 잘 통하지 않는 것 같다. 당장 내일 난 아이들에게 어떤 태도를 보여줘야 하는 걸까? 또 혼란스럽다.

속마음

딸이 전화를 받지 않는다.

오늘도 일어나지 못하고 있나 보다 자고 깨는 시간이 들쭉날쭉 이라 답답하다. 시간을 정해 놓고 시간에 맞춰서 생활하라고 소리 높여 잔소리하고 싶다. 하지만 아이가 감정이 상할까 봐 꾹꾹 참는다.

나의 속마음은

'딸아 일어나! 지금이 몇 시야? 어제 학원 안 가고 잠 많이 잤으니까 이제쯤 일어나야지. 생리 기간이라서 더 일어나기 힘든 것 같은데 그래도 마음만 먹으면 할 수 있다고 일어나!!'

선생님께 보낸 문자 메세지

엄마가 선생님께 하는 말들은 거의 나를 내려놓고 굽실거리고 부탁해야 하는 말들이다. 담임선생님께 보냈던 문자 메세지를 몇 개 모아보았다.

선생님 안녕하십니까?

우리 딸을 언제나 바르게 지도해 주시고 한 번 더 고민해 주시고, 깊은 관심으로 여러 가지 노력하시는 선생님께 늘 감사드립니다.

엄마가 오늘 아침 출근이 빨라서 딸이 깨어나는 걸 보지 못하고 출발했습니다. 감기 기운이 겹쳐 잘 일어날 수 있을지 불안한 상태입니다.

상황을 회피하거나 예의 없어 보이는 부분은 분명 가정교육이 부족한 것이라 선생님께 늘 죄송하게 생각합니다.

또 연락드리겠습니다.

선생님

두리가 아직 등교 안 했나 보군요

전화도 안 되고

자가 진단도 안 되고

아침에 깨웠을 때는 곧 일어날 수 있을 것처럼 보였는데… 계속 결석 되지 않게 하려면 어떻게 하는 것이 좋을까요? 어제도 병원 가서 3일 치 약 받고 감기 진료확인서는 받았습니다.

어제 그제 챙겨주느라 같이 있었는데 오늘은 혼자 둘까 합니다. 엄마가 보이기만 해도 부담일 수 있으니….

내일은 혼자 일어나 갈 수도 있지 않을까 기대해 봅니다.

선생님

아침 일찍 죄송합니다.

그냥 나아지기를 기다리는 것보다는 지난주부터 다닌 병원에 데려가 약이라도 처방받으려고 어제 다시 아이 자취방으로 왔습니다. 출근을 미루고 다녀오려 하니 무단 처리 부분에 대한 세심한 고려 부탁드립니다.

저도 백신 맞았을 때 3일까지는 기운이 없어 했던 기억이 있는데 두리는 2일 쉬어서 충분하지 않은데 생리까지 겹친 탓일 거로 생각하고 있어요.

선생님께서 늘 잘 이해해주시니 감사드립니다.

선생님 힘들게 해드려 여러 가지로 죄송합니다. 그제 시험 공부는 안하고 일본어 공부를 하던 딸에 대해 엄마 생각으로는 두리가 24시간 내내 우울하면 너무 위험하게 될 것 같아서 일본어 공부라도 해서 그저 잠깐이라도 우울한 기분에서 벗어나 보려 스스로 노력한 것으로 보입니다.

병원에 가지 않겠다는 두리를 데리고 겨우 병원에 다녀왔습니다. 아이를 병원에 데려가기까지 엄마는 강하지 않더라도 단호함이 꼭 필요하겠다는 경험을 했습니다.

마음을 공유하기 위한 노력

딸이 학교에 가지 않으면 엄마 마음은 불안하다. 금요일과 토요일 내내 전화도 문자도 답이 없다. 금요일 밤 '계속 답하지 않으면 다시 엄마가 찾아가야 하겠다' 라고 하자 '오지 마' 라는 세 글자가 답문자로 왔다. 그렇게 토요일은 혼자 내버려두고 일요일 오후에는 다시 만나 스파게티를 먹으러 가고 또 뮤지컬을 보러 갔다. 유아를 위한 뮤지컬 '알사탕' 스스로 소극적인 마음을 극복하고 친구를 사귀고 놀게 된다는 내용에 엄마는 어려움을 극복해 나가는 작은 아이의 노력에 감동받은 건지 눈물이 왈칵 쏟아졌다. 그리고 딸에게 엄마의 감동 포인트

는 '나랑 같이 놀자' 부분이라고 말하자 딸은 아빠에게서 '사랑해'라
는 말이 나오는 부분이 감동적이라고 했다. 서로 다른 감동 포인트이
지만 마음을 공유할 수 있다는 건 좋은 일이다.

그래서 인간극장 시청한 이야기를 해주었다. 41살 아빠와 36살 엄
마가 육 공주를 키우는 이야기였다. 자식이 많아서 15살인 첫째 딸은
엄마 아빠가 아픈 막내를 돌볼 때 다섯 동생에게 밥을 해주었다고 이
야기해 주었더니 딸은

"내가 그런 처지었다면 가출을 하겠다. 너무 스트레스받을 것 같
아."

라고 했다.

"그래도 좀 불편하고 스트레스받더라도 가족이 함께한다는 것이 더
좋은 거야."

5월 어느 아침에

딸들아

평범하지만 특별한

또 하루가 시작된다.

꼬물꼬물 아장아장 아기였던 하나와 두리가 어느새 아가씨가 되어

있으니…. 세월 참 빠르지?

　생각해보니 엄마와 아빠는 하나 정도의 나이에 첨 만나도 사귀기 시

작했었네. 사랑하고 결혼하고 우여곡절이 많았지만, 너희 둘을 낳았고

그로 인해 불완전했던 우리가 좀 더 노력하고 열심히 살아가는 계기가

되었다고 생각해. 엄마가 혼자서도, 아빠 혼자서도 만들 수 없는 우리
만의 이야기가 있었지. 거기에 하나랑 두리가 있어 주어 엄마는 늘 다행
이고 감사하게 여겨.

　고맙다 아가들.

　그런데 아빠 엄마가 하나와 두리에게 완전한 가정을 지켜주지 못해
미안하다 아가들. 비록 헤어졌지만, 엄마는 이제 아빠가 한 인간으로
서 아빠만의 고통과 고뇌가 있었을 텐데 포기하지 않고 버티며 하나와
두리에게 도움이 되려고 애쓴다는 생각도 들어. 그런 점에 감사하려고
생각해본다. 이렇게 우리 각자가 자신을 돌보고 버텨내는 마음, 생각
하나하나가 모여 우리를 지탱하고 있다고 생각해. '나 자신을 사랑하
되 이기적이지만 말자' 라고 말하고 싶다.

　엄마는 하나에서 열까지 모르겠으면 책과 인터넷을 찾아보며 너희를
키웠다. 엄마는 나 자신에게 잘했다는 말보다는 최선을 다했다고 말해
주고 싶다. 엄마는 엄격함 쪽보다는 너그러움 쪽이 내 성격과 맞았고
너희들과 갈등을 되도록 피하려고 했지. 그 때문에 너희들이 갈등 상
황을 견디고 해결해 가는 경험을 할 수 있게 해 주지 못한 것만 같아서
혹여 너희들이 세상살이의 혹독함을 견뎌내지 못하면 어쩌지 걱정도 된
다. 위로가 필요할 때 시기적절하게 힘이 되어주지 못한 것은 아닌지 그

냥 모르고 넘어간 적도 많았을 텐데 엄마가 부족하여 미안하다.

요즘 새벽 시간에 깨어 시계를 확인하는 일이 잦아졌다. 걱정하는 마음이 많아서 그런 것일 거다. 02:30~03:30

하나는 12시 전에 잠자리에 들었을까?

몸 건강을 위해 뭔가 했을까?

두리는 일찍 귀가했을까?

남친이랑 별일 없었겠지?

등등의 걱정이 날 깨우나 싶지만 하나와 두리가 잘하고 있을 거라 믿고 다시 잠들려고 노력한다.

우리가 같이 모여 살 땐 같이 영화 보고 같이 맛난 거 먹고 좋았지만 우리 각자가 떨어져 있는 지금은 각자의 몸 건강 마음 건강을 지키며 각자의 삶을 잘 살아가는 것이 중요하다고 생각해. 이 세상에 가장 중요한 건 나! 이니까

우리 각자 자신을 잘 챙기고 세상 살아가다가 가끔 모여앉아 각자가 경험한 세상 모험담을 서로에게 들려주자.

엄마는 하나와 두리의 엄마라서 좋고 행복하다. 결핍이 있음에도 갈등이 있음에도 지금까지 잘 살아주고 예쁘게 성장해 주어 고맙다. 사랑한다 딸들!

관심이 필요해

우째!!! 엄마 BMW랑 접촉 사고 났어.

하나: 엥 왜?

비도 오고 잘 안 보여서 교차로에서 다른 차 오는 거 못 보고···.

수리비 왕창 나오겠다 상대 차량이 외제 차라···. 흑

엄마는 딸들이 걱정해 주길 기대했는데 하루가 갔다.

다음날

딸들아

엄마는 무사하다

차 사고가 났다고 했는데 너희들이 엄마 안부 궁금할 것 같아서…

엄마 차는 번호판만 떨어졌고

상대 차는 조금 긁혔어.

하지만 그 차는 BMW라 수리비가 무섭다.

지금 사무실에서 외출 허가받고 번호판 붙이러 간다.

딸들아, 엄마한테도 너희의 관심과 걱정해 주는 멘트가 필요해.

짝사랑하고 있는 것 같아

    너는 학교와 가까운 곳에 자취하고 있지만 엄마는 딸을 좀 더 보고 싶기도 하고 관심 가져주고 싶어서 먼 길을 운전해 와서 등교시켜주려고 했어.

    엄마 영천초 지났어. 이제 곧 도착할 거야. 벌써 내려왔니? 빨리 내려왔구나. 잘했네. 곧 도착할게. 버스 정류장 앞으로 나와 있을래?

    너를 차에 태우고 엄마는 계속 운전하면서 말했어.

    도시락은 바닥에 있어. 뚜껑 열 때 조심해.

    - 알았어! 먹고 싶으면 먹을게. 알아서 먹겠다고 했잖아.

학교 거의 다 와 가니까…… 못 먹고 내리게 될까 봐 그러지.

- 아 정말 짜증 나게 왜 그래? 밥 먹는 게 그렇게 중요해?

…….

엄마는 자취방 앞으로 픽업하러 아침 일찍 차를 몰고 갔는데 아이는 제 때 나오지도 않고 짜증이 늘었다. 말 한마디만 하면 짜증 내고 난리다. 엄마는 구박받는 신데렐라가 된 느낌이다. 뭐 그리 대단한 결과를 원하는 건 아니지만 아이가 이렇게 말끝마다 짜증 내고 고맙다는 표현도 안 해서 섭섭하다. 엄마의 노고를 조금이라도 알아주면 좋은데 그러지 않아 걱정이다. 다만 남을 배려할 줄 알고 자기를 지킬 줄 아는 너그러운 네가 되길 바란다. 부모로서 엄마로서 당연히 해 줘야 하고 해주고 싶어서 해주는 건데 짜증 내고 싫다고 화내면 엄마는 마음이 아프다.

난

이렇게

너희들을

20년 가까이 짝사랑하고 있는 것 같아.

학교 다녀오겠습니다

어느 날 TV 드라마를 보는데 아침 시간 학교에 가려고 집을 나서는 아들이 주방에 있는 엄마한테 "학교 다녀오겠습니다." 라고 말하는 거야. 생각해보니 나는 내 딸들한테 '학교 다녀오겠습니다.' 라는 말을 몇 번 듣지 못한 것 같았어. 그 말이 너무나 듣고 싶었어. 그래서 바로 다음 날 나는 아침 일찍 일어나 자취하는 아이에게 줄 아침밥을 간단하게 챙기고 자취방 앞에 가서 연락해.'이제 집 앞에 왔어. 학교에 데려다주려고.' 아침밥 도시락을 잘 먹어줘서 고맙고 기뻤어. 그리고 학교에 내려줬는데 '학교 다녀오겠습니다'란 말을 안 하고 내리는 거야.

그래서 전화했지. '엄마한테 학교 다녀오겠습니다.'라고 말했어? 네 대답이 아쉽긴 했지만 그래도 괜찮았어. 이제 너를 픽업하러 가는 것도 어느덧 두 달이 됐어. 등굣길 엄마 차 안에서 먹어야 해서 종종 가져간 밥을 남기기도 한다. 너의 사소한 말에 짜증이 나기도 해 마음이 힘들다. 그래서 엄마는 딸들을 키우는 일이 끝없는 짝사랑 같아. 그래서 오늘은 마음이 좀 지친다. 아프다. 이룰 수 없는 사랑하는 것 같은 기분이랄까? 내 딸이 피곤할 것 같아 홍삼차를 준비했고 건강히 지내라고 유산균 스틱과 요플레를 준비했다. 맛있게 먹으라고 삼겹살과 상추와 오이가 들어간 김밥을 말았어. 참 요플레에 넣어 먹으라고 딸기청도 준비했어. 너는 맛있는 것만 속속 골라 먹고 나머지는 남겼어. 그래 남겨도 괜찮아. 내가 좀 더 적당히 준비하도록 해야겠다. 엄마는 태워다 주고 싶어서 아침 일찍 일어나서 온 거고 엄마가 너 밥 먹게 하고 싶어서 도시락을 싸 와서 먹게 하는 거고 다 내가 좋아서 하는 일이야. 하지만 퉁명스러운 대답은 마음을 아프게 해. '고마워. 사랑해.' 이런 말이 없더라도 '응 그래. 맞아. 그랬구나. 지금 말고 나중에.'가 좋아. '내가 언제 그랬어?'는 엄마를 무시하는 거야. 이런 말은 듣고 싶지 않아. 날씨가 우중충해서인지 기분이 더 다운되는구나.

인생 비법

이건 엄마 인생 사는 비법이라고 할까? 이렇게 긍정적으로 생각하는 훈련을 해 보면 좋겠어.

-지금 그래도 최악은 아니잖아 최고로 나쁘진 않아 이겨낼 수 있어.
-내가 좋아하는 나로 만들어 보자 .

난 아직도 미완성된 상태야 끝임없이 자신을 다듬어 가는 것이 인생이 아닐까?

온수매트

화창한 토요일 아침, 당근(중고 거래) 거래로 싱글 온수 매트를 삼만원에 구매하기 위해 한경면 저지리까지 50분가량 운전해서 왔다. 작년에 산 온수 매트는 퀸사이즈 아이들 침대 맞지 않아서 적당한 가격에 싱글 온수 매트가 나오길 기다리고 있던 차였다. 딸들은 거의 집에 있진 않지만 나름 월동준비를 해 놓아야 안심이다.

오늘 거래 장소는 미술관 옆 브런치 카페.

거래를 기다리면서 커피와 브라우니를 시켜 나 홀로 카페 안에서 시간을 보낸다. 날씨가 따뜻하고 좋아 생각을 정리하고 스마트 폰으로 친구들과 나의 일상을 공유한다. 아! 드디어 왔다. 온수 매트를 무사히 픽업하고 기분 좋게 집으로 다시 드라이브~!

나이 듦을 당당히 받아들여야겠다

내 나이 50대.

아직 젊지만 그래도 언제 올지도 모르는 나의 마지막을 천천히 준비해야 할 것이라는 생각을 하고 있다.

옷도 정리하고 책도 정리해야 되고 사진도 정리해야 하고 내 마음도 정리해야겠다.

더 늙어지면 나의 엄마가 그랬듯이 나한테도 치매가 올 텐데 지금의 전셋집이 아닌 늙은 내가 혼자서도 능숙하게 살아갈 곳도 확실히 정해야 하겠는데⋯. 내 말년을 시내에서 살지 시외에서 살아도 괜찮을지

고민이다. 아담한 주택을 얻는 게 좋을지도 잘 모르겠다.

사실 어떤 선택이 옳을지 잘 모르고 모를 땐 용기가 필요하다. 예전부터 나에게 용기가 충만하였다면 영어 강사로 살아온 지난 내 인생이 힘들지 않았을지도 모른다. 용기를 내 학원을 개원했었다면 바뀌었을 나의 인생 여정이 공공기관 취업을 선택함으로써 겪었던 여러 가지 힘들었던 일들이 내 안에 억울하다는 생각을 갖게 했다. 단순히 나의 선택 때문이었을까? 부족한 나의 용기 때문이었을까?

그런데도 나는 내가 일해왔던 학습지 회사, 영어학원, 초등학교, 중학교 그리고 교육공무직 …. 다양하게 살아온 나의 경험들이 좋다. 용기를 내어 앞으로도 쭉 내 인생 모험을 하면서 나이 들어가는 나를 당당히 맞이해야겠다.

엄마는 너희의 고향이 되고 싶어

가서 만나볼 누군가가 있다는 것.

그것이 내 가족이라는 것.

마음을 충만함으로 꽉 채워주는 일이다.

나한테 없는 것을 바라보지 말고

내가 가진 것들에 감사하며 살았으면 좋겠다.

하나와 두리가 있어서 엄만 마음이 진.짜. 꽉 찬다.

힘들지만 열심히 자신의 인생을 살아가고 있는 너희에게 엄마는 고

향으로 존재하고 싶어. 언제든 힘들 땐 와서 먹고 자고 뒹굴고 쉬렴.

가족

함께 먹고

함께 자고

부담 갖지 말고 맘 편히 도와달라 할 수 있고 싸우고 용서하고 사랑
하는 것.

진로 찾기

난 무엇일까?

어떻게 살 것인가?

엄마의 20대에 가장 많이 했던 생각이다.

그리고 내린 소박한 결론은

'자연과 가까이!

세상에 도움이 되게.'였어.

네 안에

꿈틀대고 있는 너 자신을 끊임없이 찾아보렴.

넌 분명 너만의 너를 발견할 수 있을 거야.

딸들 사랑해.

그래도 괜찮아

하나야,

취업 늦어져도 괜찮아

조금 우울해도 괜찮아

지금 시간이 힘들다고 생각되어도

시간은 흐를 것이고

너는 또 다른 시간에 다다르게 될 거야.

다만

계속 생각하고 너를 찾아보는 일은 게을리하지 말기 바라.

엄마의 20대에도 그랬어.

어떤 직업을 선택해야 할지 알 수가 없어 답답했어. 겨우겨우 도달한 생각은 무엇을 하며 살 것인지보다는 어떻게 살아갈지에 집중해 보자는 것이었지.

나 자신에게 부끄럽지 않은 나.

나 스스로 만족하는 나.

그런 내가 되도록 노력해야겠다.

이왕이면 자연과 가깝게 살아 보자.

이 정도의 결론으로

도시로 가지 않고 자연과 아주 가까운 제주에서 어린이 책을 읽어주는 일을 하면서 이제까지 그럭저럭 잘 살았다고 엄마 자신을 격려해 본다.

내 딸은 엄마의 업그레이드 판이라 엄마보다 더 잘 될거야.

잘 될 거야.

늘 너 자신을 잘 돌보다 보면 거기에 네가 찾던 답이 있을 거라 믿어.

내 딸, 파이팅!!

네가 있어서

하나가 7살 때쯤이었나? "엄마는 칭찬을 잘 안 해."라고 한 말 엄마는 내내 기억하고 있었어. 엄마가 칭찬에 인색해 보이지만 그래도 하나를 참 많이 좋아하는 거 잊지 말고 있어라.

엄마가 영어 그림책 읽어주는 일이 나와 잘 맞다고 생각이 든 것도 30살쯤이었어.

그때 넌 2살.

엄만 결국 하나가 있어 그 일이 더 재밌었어. 네가 같이 좋아해줘서….

공감 능력이 필요해

엄마는 너희들이 듣고 싶은 말을 적절하게 적절한 순간에 해줄 수 있다면 좋겠다고 생각을 해 본다.

엄마 그 말 말고

    " .... "

라고 말해주면 어떨까? 라고 너희의 의견을 말해주면 좋겠다.

엄마의 부족한 공감 능력과

엄마의 부족한 어떤 감각 때문에

우리 각자가 괴롭고 힘들지도 모른다는 생각이 들었어.

대사를 연습해 보자

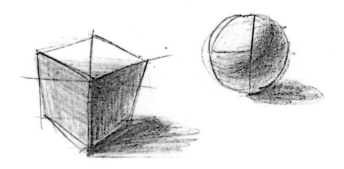

누군가 인생은 연극이라고 했다.

나는 내 인생 드라마 작가이자 배우이다.

내가 할 대사를 연습해 보자.

대사를 써 보고

대사를 연습한 후

상대방에게 말할 때

나의 인생 드라마가

좋은 드라마가 될 것이다.

대화법 공부가 필요해

이해받고 싶은 마음

속마음은 안 그런데 내 딸에게 다정하지 못함 아니 다정하게 대한다

고 노력하는데 번번이 내 답변에서 기분이 나쁘다고 하는 딸아이

나도 비난받는 기분

너도 비난받는 기분

나도 이해받고 싶고

너도 이해받고 싶고

하지만

나도 내 생각만 말하고

너도 너의 생각만 말했어.

우리 대화에 문제가 있는 것 같아.

우린

대화법 공부가 필요해.

내 딸들을 잘 돌봐줘

딸들아, 자신을 돌보는 일을 게을리하지 말도록 하자

하나야 두리야, 오늘도 내 딸들

잘 돌봐주라고 부탁한다.

하루에 5분이라도

휴대폰을 내려놓고

산책하며 자기와 대화해 보자.

밖에 나갈 사정이 되지 않는다면

방 안을 서성거리거나

제자리걸음을 걷는

실내 산책이라도 하자.

자신과 대화하며 자신을 잘 들여다보면 좋겠어.

"지금까지 잘 살았고 잘하고 있고 잘 될 거야." 라고 말해주렴.

사랑해 내 딸들

응원해 내 딸들

언제나.

딸들아, 너희와 함께하는 모든 순간이
엄마에겐 의미 있고 소중하다.

엄마의 순간들

발 행 | 2024년 07월 30일
저 자 | 김은희
그 림 | 강푸름
표지그림 | 강푸름
디자인 | 오은정
인권표현검수 | 이지민
바른우리말검수 | 이지민
후원 | 제주특별자치도, 제주문화예술재단
주관 | 서귀포 오아시스
미디어에디터 | 최인서
작품편집, 에이전트 | 박산솔, 이정숙, 이선경
펴낸이 | 한건희
펴낸곳 | 주식회사 부크크
출판사등록 | 2014.07.15.(제2014-16호)
주 소 | 서울 금천구 가산디지털1로 119, SK트윈타워 A동 305호
전 화 | 1670 - 8316
이메일 | info@bookk.co.kr

ISBN | 979-11-410-9818-6

www.bookk.co.kr

2024 엄마의 활주로 '함께육아에세이'의 취지에 맞게 작가의 감정 표현과
아이의 언어 표현을 지키는 방향으로 교정 교열 하였습니다.

본 책은 강원교육모두체, 학교안심(확장)바른돋움체, 상상토끼꽃길체,
리디주식회사에서 제공한 리디바탕글꼴이 사용되었습니다.

본 책은 제주특별자치도와 제주문화예술재단의 후원을 받아 제작되었습니다.

Jeju   JFAC 제주문화예술재단